考える脚

坂東里美
詩集

Bando Satomi

澪標

考える脚

坂東里美

考える脚——目次

装幀　森本良成
本文イラスト　坂東里美

I

膝

knee

月光は
木々を屋根を水面を
私の髪をやさしく撫でていた
眠たくなる
柔らかく息づく
暖かい枕に

踵

heel

千里を駆ける駿足
勇者アキレウスにも
たったひとつ弱点があった
ホメロスはおしゃべり好き
物語は頁を重ね

踝

ankle

大きな足のトムおじさんは
両手にいっぱいの果実を抱えて
アメリカの大地に立っていた
今も見えない鉄の足環で繋がれて

腿

thigh

モモの花の咲く頃
朧月夜に逢いましょう
恋は退きはしない

臑

shin

向こう見ずの弁慶が
雨に濡れて泣く
ひとりの人を待ち求めることは
しかして苦しい
月も見えない

あしからず

I’m sorry, but …

葦は
地上に繁茂した
風になびく　その波間を
考える脚が
踵を空に向けて
歩いて行く
サヨナラの
手を振るように

another face

歯

この世の始まりに
口の中に※印が付いてた。
もう後のことは脚注に任せて
話すことを止めた。

舌

千人乗っても潰れない
という四角い箱の上で
作り物の小さい象が
鼻を巻き上げ
短い舌を出した

唇

竜の甲冑の男が
古い絵の中
淋しそうな口元で
何事かささやいた

め

雨上がりの朝に
土を押し上げ立ちあがってくる
堅くつむった瞼を
そおっと開いて
笑った

まゆ

ほの明るい絹の棺の中で
目が覚めた
ありふれた三日月の罠
唾をつけた
羽は濡れたまま
解れない

みけん

それはまだ誰も
見たことのない
生命でした
顕微鏡の円い
もうひとつ別の
世界にあなたは行ってしまった
思考の深い皺を寄せて

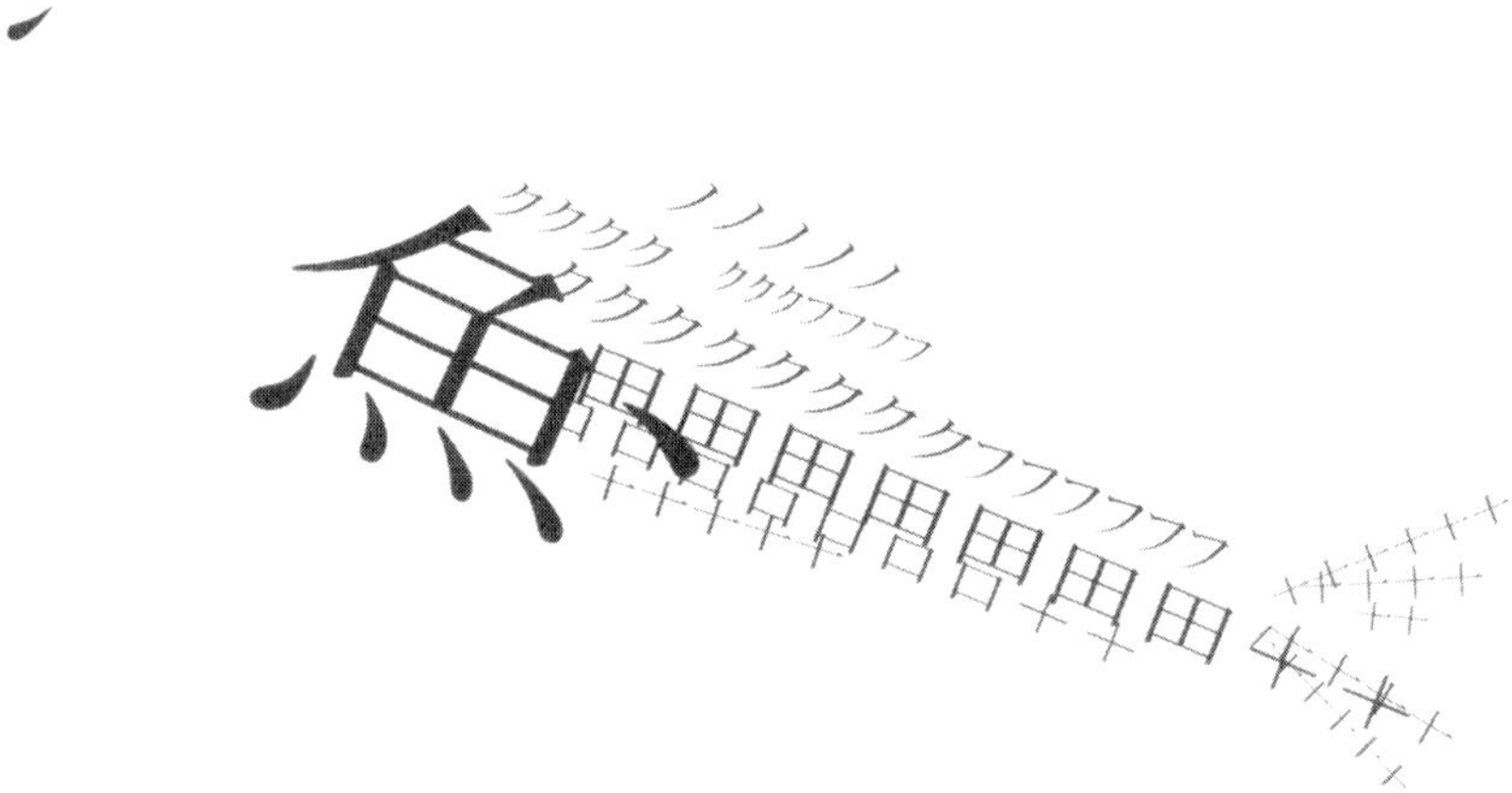
魚

II

触

月のコルク栓を抜くと
金色の泡とともに
透き通った角の生えた
子どもたちが
笑いながら立ちのぼっていく
夜空は優しく
そっと手を伸ばす

颪

ベレー帽を被った
虱のライス氏は
盾を持ち
空飛ぶ絨毯に乗って
旅立つ
戦うべきは
ＬとＲの発音の大問題
大きくしなりながら
大気圏に向かって
吹き上げる

騒

馬が駆けていく
蹴り上げた青草の匂いの
ずっと向こうへ
小さくなっていく
いつか立ち止まる
遠い三叉路で
きりぎりすが鳴いている

虹

雨が止んだ
体育倉庫のひさしの下で
空を見上げていた一年生たちが
トンボを担いで
いっせいに走り出る
T字が並んで引く
湿った土の匂い
七つの軌跡

蜜月

月からパンケーキを焼く
甘い匂いが漂ってきた
昔々
ウサギからもらった
秘密のレシピ・ノートの山は
虫食いで
所々読めないが
ウチにおいで
必ずご馳走するから
と言った
宇宙飛行士だったのかもしれない

きょうの天気 ― 雨模様

雨の冠

雨の冠を被った人が
笛を吹きながら
通りの角を曲がってくる

「あめー　あめー

「ほっぺたの落ちる美味しいあめー」
家々のドアが開き
子どもたちが顔を出す

「七色のあめはいらんかねー」

色とりどりの傘が開き
雨の冠の後に続く
通りは賑やかなお祭り行列

電

オレンジの灯りの帯が
夏草の露を払いながら
夜の線路を走っていく
雨上がりの無人駅
朽ちかけた古い伝言板に
たった一行書いて
年老いたその人はベンチに座り
最終電車を待っていた

震

小雨の降る
午前八時の通学路
段ボール箱の中で
その子は濡れて
震えていた
黒いランドセルが
のぞき込んでいる
恐竜の子どもがいる！
彼は目を輝かせて
振り返った

霊

たましいの帰るところに
金木犀が匂っている
雨の手が遠くで撫でている
幻の黒い犬
雨の並木をかいくぐって
こちらに駆けてくる

雫

未明の雨は
もう止んだろうか
ベッドから体を起こすと
胸のあたりから
鈴の転がる音が
微かに聞こえてきた

私には空っぽが存在する
しかしそれは
悲しいことではない

肖像

着陸船の
梯子を降りるアポロの神は豪腕
白いマシュマロの宇宙服の
スローモーション
月を踏む小さな一歩が
三ツ　静かの海に残る
写真の日付は
July 20 1969

肯定

月の上で1人ぼっち
止まっている
のはあなた
でもわたし
でもある
見上げる漆黒の空
正にを想像する
一つだけ足りないことは
いっぱいあったな
上弦の青い
地球で

脅迫

満月の頭上を三匹の
カ　カ　カ
が金属音で回転している
小さい力を合わせれば
とおどしてくる
鬱陶しい　と
カグヤ姫は叫んだ
月への道を
カフカの毒虫に乗って這い上がる

月極

月面行きの
桟橋に
錆びたアルミニュウムの
看板が掛かっている
ロケット不動産
無断駐船は罰金

翌

大きな黒縁のメガネの男
左に向いて見つめている
揚羽蝶がいま
あしたのほう　に飛び
立ったのさ

意

なべぶたを
ソっと開けると
いがいにも
もう一枚ふたがあって
お日様が隠れている
音を立てるな
心を
ことばは
表しつくせない

闇

地獄門をくぐると
銅鑼の音　響いて
閻魔大王のお裁き
ウソ八百の詩を書きやがって
舌を抜いてやる
その男
太陽の上に立って
舌をぺろりと出し
アルクイユの方へ
走って逃げた

競

ピッチに立つ二人
ボールを蹴って
口口に叫ぶ
只じゃあすまねぇぞ
兄貴こそ覚えとけ
走ル　走ルとき　走レば
走レ
走レよ

泣

あなたは　鳥打帽を被って
小さい喫茶店の一番奥の席で待っていた
六匹のすずめ　と秋と　空虚と
雨　あめ　雨
雨つぶが　ひとつ　ふたつ
みっつ　めがはねて
自動ドアは勝手に開く今　私は
立ったひとりで

莫

草の上に
一人
大の字に寝転ぶわたくしは
とりとめもない思念

墓

麦藁帽子の
日曜大工は
庭のサクランボの木の下
石に刻む詩
垂れ耳の黒い犬の
土から立ち上る匂い

貘飼

貘の群れを追って
角笛の男が丘を下って来る
夢は食い尽くされ
青く輝いている

暮

十字を二度切って
夕日に照らされて祈る人
晩鐘
の股の下に日は沈んでいく

慕

莫大な財宝だとか
莫迦げた約束だとか
いつか見た映画のように
芝居じみた心情が
四つ足の獣のように
走り出す

蟇

一〇一番目の階級の
王子は
床にたたきつけられても
醜いガマのままだった
白い腹の上に苦虫が止まっている

漠

果てしなく広がる世界に
なくしたはずものをさがす
シンジツは蒸発した水
干からびた幻の草原
ないことが大きすぎるので
わたくしの　ない　たちは
なきながら漠笑する

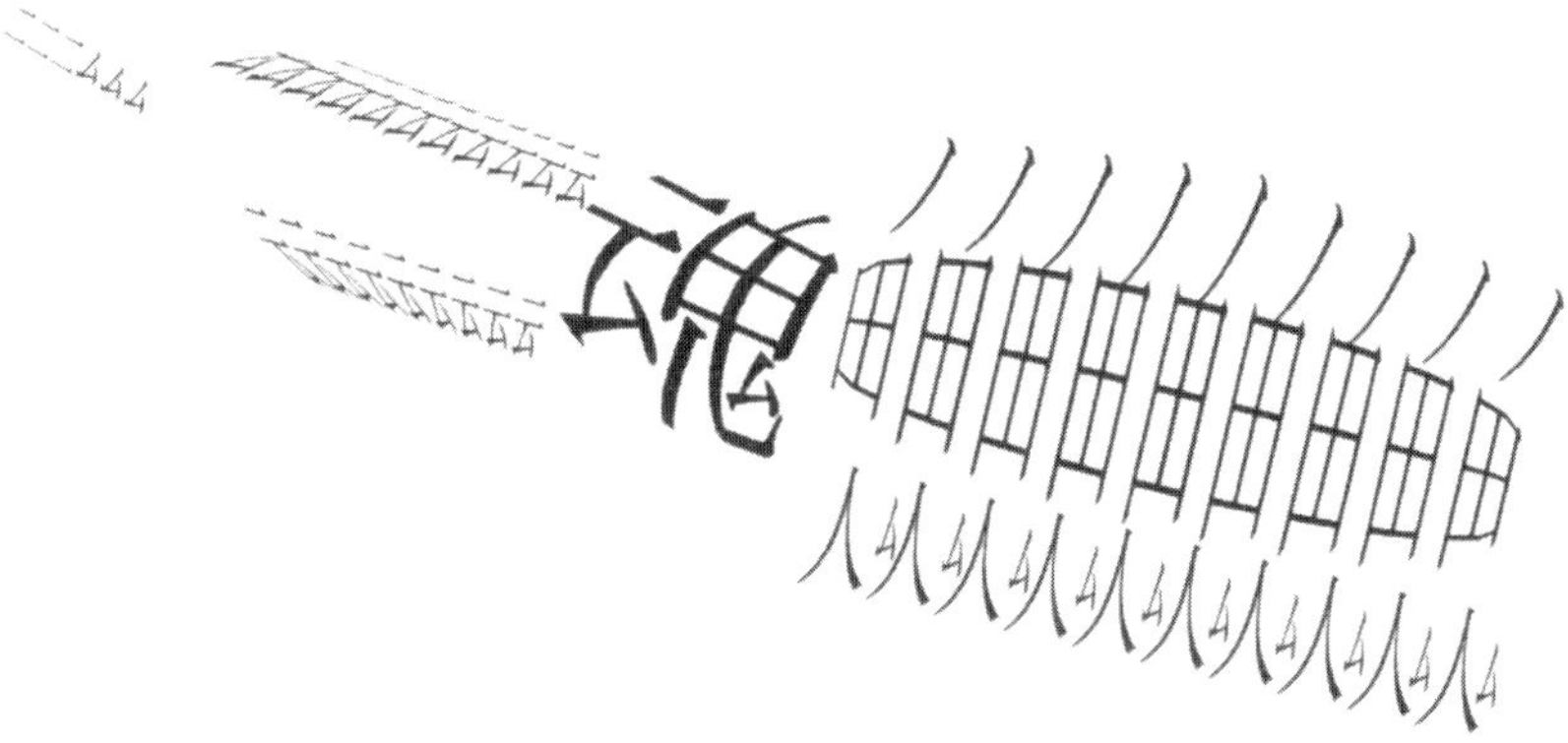

III

愛

天窓を少し押し上げて
ソッと覗いている
この心臓の鼓動を誰にも
覚られないうちに
タタタと走って
逃げるか
あるいは
又

i

ちいさい私さん
ちいさい頭に浮かんだ

!

あかるい光に満ち満ちて
あっけらかんの

哀

哀愁
哀傷
哀願
哀歌
哀惜
哀悼

一人
衰退

藍

タデ
食う虫も
好き透き
艸原の
あおの監獄
あいの看守
とらわれの
インディゴの夢

遭

未知とあう
道であう
満ちてあう
おはこ一曲歌いながら
お日様を力いっぱい漕いで
故意で
恋で
来い

ちいさいおうち

屋

嵐の夜に揺れている
丘の上のちいさいおうち
戸籍の上の瓦が一枚
遠いところへ飛んでゆき
尸の部首はしかばね
漢和辞典を引きながら
こ

の
ように
うなだれたあなたの手を
握っていた
夏至から冬至まで
ちいさい屋根の下

柱

雨音を聞きながら
暗い部屋の真ん中で古い大きな
木は故郷の山を思って
「、」くらい涙を流した
そこに悪さをした
小坊主が連れてこられ
その木に縛りつけられて
いっしょに泣いたその涙
で描いたねずみの
王の
まったく立派な鳴き声
ひとつ

窓

ベレー帽のマンガ家の
八文字眉が首を出している
ムズムズする空想の種
心音は発芽する
空に向かって
そう

壁

塗り固められた土の上に
描かれた古代人の横顔の
めとはなと口が
クシャミ出そうで
出なさそうで
辛そうな表情をしている
組み合った
二人の男の

どちらに土が付くのか
誰かのうわさに
辟易としている
あなたは
永遠の
耳があるらしい

煙突

西の山の頂上で
火を焚いて
のろいののろしを上げている
土産のだんごをぜんぶ食べ
もう配るものはなにもない
穴があったら入りたい
男は慌てん坊
勢い付けて頭から
突っ込んだ煉瓦のえんとつ
大きなお腹がつっかえて
あら逆さまに刺さってる
赤い長靴　白い縁取り

扉

非常に
悲しみの心を落として
雨戸を閉めて
うずくまっていた
ちいさいおうち
柱時計の長針が天井を指すと
唐突にドアが跳ね開き
飛び出す
体を打ち振るわせて
鳴くかっこう
本を開く
木霊する
最初のページ

IV

幼生

塩水の充満する
円錐の透明容器の中の
ナウプリウスあるはアルテミア
夥しい数の
生命の浮遊する
新しい生活様式
成長への
曖昧な危惧と
憶測と

陽性

アンモナイト養成工場の
よく笑うエレメント
妖精反応が出たので
精霊に隷属いたします
妖星の流れる夜

ヨウセイの距離

クロコダイルのパックリ開いた
うつくしい前歯から
尾先まで2フィート
生臭い吐息の欲望
kiss me kick me
と囁く
証明できない道徳に引かれた線
自由
霊魂の不死
神の行方不明
それは辛うじて爬虫類の
眼球の廻転に似ていた

咳

訳

イノシシが入ってくるので入
口は必ず閉じてください

仮面

mask

仮の
複眼の
緑のマスクをかぶって
よりによって
なりたい自分になれる
とか
面と向かって
行ってみたり
言わなかったりして

でも
それは
嫌だ

息

ル

息ができないので
姑息にも
空を引っ張って
ああだこうだ叫んで

ふたを閉じ
自分の心は
自分にしかわからない
という
うそ

噓

くさめ

吸気が短く分割されたあと
口からほとばしるのは
孤独な言葉
ではなく賑やかな
擬音だった

どうか
神の祝福を

検温器と蜂

彼女は透明な幕の　隙間から白いピストル
の　銃口を私の額に向けた。息をとめ目を
伏せ　た足もと。撃ち墜とされたマルハナ
バチが　踏み潰されている。

寅

Tiger

とらわれの
午前４時
宇宙をぐるぐる回っている
黄色の縞模様がリボンにほどけ
由来のバターに溶ける
演技する魔もなく
星も皮も残さない大河

辰

Dragon

雪の小竜は凍えて
辱められたと小声で怒って
振り回すバッドアナロジー
唇は青衣色に
震え
蜃気楼の中に裏返って
ゴンと銅鑼が鳴る午前8時

申

monkey

申しあげますると
さるサルが
神がかって
欠伸をしており
類人猿からピテカントロプスに向かう
紳士が真っ赤な
サルビア畑の尻で
呻いておった七月　午後4時の傾き

未

Sheep

曖
昧な
未来を数える
ひつじの
魅惑のbaa
妹背の
痒い背中の苦
味に迷える午後2時の
愛

亥

wild boar

がいして理科室の
骸骨は　子供たちが帰った
時刻に
咳をしても
深刻な
ひとり
いのこり
最終ランナーの空虚を堪能する
玄人

亥亥亥亥亥亥
亥亥亥亥亥亥
亥亥亥亥亥亥
亥亥亥亥亥亥
亥亥亥亥亥亥
亥亥亥亥亥亥
亥亥亥亥亥異

リ

詩集のあとがき

日本語は多様性に満ちている。文字だけを見ても漢字、ひらがな、カタカナがあり、音や指し示すものは同じでも意味やニュアンスが変わってくる。

日本語で詩を書くことということにはどのような可能性があるのか、ずっと考えてきた。この詩集では、例えば、漢字が持つ構造（形・音・意味の組合せ）を解体し、もっと小さいパーツに自由に分解して、新たな形・組合せを見つけ出し再構築するなどの実験をしてみた。文字や言葉たちが元来の意味から離れて別の新しい世界を形作る詩が書きたかった。

パスカルは葦を弱い人間のメタファーとしたが、古代日本「葦原中国」（あしはらのなかつくに）は葦が群生する地上であった。多種多様な生命体が息づく葦原をかき分けながら猟歩する人間は、考える脚である。

二〇二三年一一月　　坂東里美

坂東 里見（ばんどう さとみ）

著者による詩集

『約束の半分』 あざみ書房　2022年

『タイフーン』 あざみ書房　2005年

『変装曲』 あざみ書房　2009年

考える脚

二〇二三年十二月十二日発行

著　者　坂東里美

発行者　松村信人

発行所　澪標《みおつくし》

大阪市中央区内平野町二-三-十一-二〇二

電話　（〇六）六九四四-〇八六九

振替　〇〇九七〇-三-七二五〇六

印刷製本　亜細亜印刷株式会社